D0349185

TRAAK, TE FRESELIJKE TRAAK

Van Ron Langenus verscheen eerder bij Davidsfonds/Infodok:
Zo groot is de zee (prentenboek)
Tobi en de sterren (prentenboek)
Benno en Hommel (prentenboek)
De verdwenen tijger (7+)
De verliefde prins (7+)
Paul in de piano (8+)
Onder de zwarte heuvel (10+)
Yngwor en het beest (11+)
Het geheim van de zwarte dame (11+)
Het verborgen dorp (12+)
De geheimen (15+)

RON LANGENUS

TRAAK, te freselijke traak

Met illustraties van
JAN BOSSCHAERT

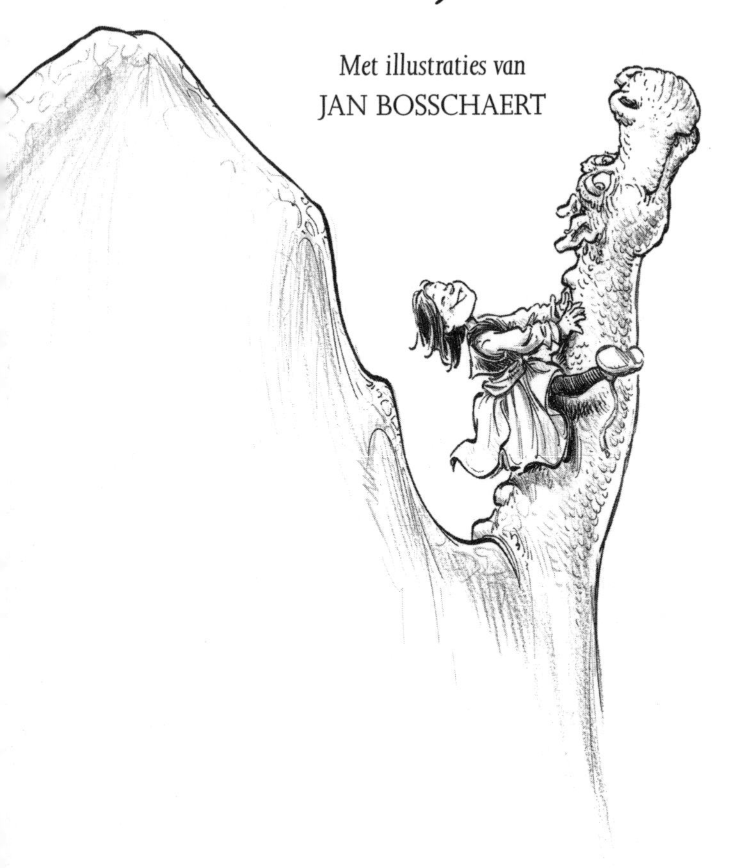

Davidsfonds/Infodok

Langenus, Ron
Traak, te freselijke traak

Blijde-Inkomststraat 79-81, 3000 Leuven
Illustraties: Jan Bosschaert
Vormgeving: Peer de Maeyer
D/2003/2952/4
ISBN 90 5908 046 7
NUR 283

Welkom in Elmo

Het koninkrijkje Elmo is het kleinste land van de wereld. Het is niet echt rijk, maar ook niet echt arm. Het is een prima rijkje, dat verborgen ligt tussen een heleboel bergen, van die hele hoge, waar geen vogel of ballon of vliegtuig of ontdekkingsreiziger overheen kan komen. Niemand heeft het koninkrijkje Elmo ooit bezocht. Sterker nog, niemand heeft het ooit zelfs maar van ver zien liggen.

In Elmo is koning Eldar de baas. Hoogweledelgeboren Koning Eldar de Eerste de Beste van Elmo, noemt hij zichzelf.

Op de eerste dag van elke maand stapt koning Eldar van Elmo in zijn koninklijke rijtuig en maakt een rondrit door zijn schattige koninkrijkje. Op die dag mag iedereen hem om hulp vragen. Heb je ruzie met je buren, weet je niet meer hoeveel 13 + 68 is, vraag je je af of je vandaag appelmoes of spinnensoep zult klaarmaken, weet je niet meer welke jurk of zondagse pak het best bij je gele laarzen past, wil je weten hoeveel poten een duizendpoot heeft, ben je benieuwd naar hoe zwaar koningin Emma weegt... je kunt het op de eerste dag van elke maand allemaal aan koning Eldar vragen. Je moet alleen maar aan de kant van de weg gaan staan en op tijd je hoed afnemen. Als de koning dan passeert, roept hij 'Woesja!' naar zijn koetsier en dan brengt deze brave man de koninklijke koets onmiddellijk tot stilstand. Als de koning naar je problemen heeft geluisterd en je gratis raad – of meestal geen raad, want vaak weet hij het antwoord op je vraag niet – heeft gegeven, rijdt de koninklijke koets weer verder.

In vier uur tijd kunnen twee uitgeslapen paarden heel Elmo doorkruisen, maar soms moet de koning zo vaak stoppen om vragen te beantwoorden en problemen op te lossen, dat hij pas laat in de avond naar het paleis kan terugkeren. Dan is hij zo moe dat hij onmiddellijk naar bed gaat, want de hele dag je bolle verstand gebruiken is heel vermoeiend, en dat is toch wat de koning op de eerste dag van elke maand doet.

Elly

Vandaag is het weer zover. Het koninklijke rijtuig rijdt door de paleispoort. Bij de zevende bocht in de weg staat een meisje.

'Woesja! Stoppen, koetsier', beveelt koning Eldar. 'Dag Elly.'

Koning Eldar kent veel van zijn onderdanen bij naam en hij kent ze allemaal bij familienaam. Dat is makkelijk zat, want ze heten achteraan allemaal *van Elmo*. Op een na, beweren sommige Elmodanen, maar niemand schijnt te weten wie die ene is.

Elly is het enige meisje in Elmo dat ongeveer even oud is als prins Elmos. Iedereen denkt daarom dat ze het ooit tot prinses en daarna tot koningin zal schoppen. Bovendien heeft ze bij het laatste koninklijke schaaktoernooi de eerste prijs gewonnen. Dat weet koning Eldar nog heel goed, want alle andere jaren lieten de Elmodanen hem altijd winnen.

'Dag koetsire en dag koning Eldar!' zegt Elly streng.

'Wat is je probleem, Elly?' vraagt de koning. 'Is het erg?'

'Heel erg', zegt Elly. 'Mijn poes is weggelopen. Ze is al een halve dag zoek. Een hele halve dag!'

'Hm', zegt de koning. Hij fronst zijn wenkbrauwen, maar daar is Elly niet van onder de indruk.

'Dat gehum van jou is geen oplossing voor mijn probleem, koning Eldar!'

'Hm, je hebt gelijk', geeft koning Eldar toe. 'Hoe heet je kat, Elly?'

'Het is geen kat, maar een poes', wijst Elly koning Eldar terecht. 'En ze heet Rokade. Rokade van Elmo, zo heet ze. Als je haar roept, dan komt ze meteen. Het is een hele slimme poes.'

Koning Eldar denkt diep na. Hij rimpelt zijn voorhoofd. Elly kijkt er aandachtig naar. Dan verheldert het gezicht van de koning.

'Wel, Elly, beste meid,' straalt hij, 'luister even naar dit fantastische plan: ik zal alle negen soldaten van het koninklijke leger de opdracht geven om zich over het koninkrijk te verspreiden. Ze zullen overal "Rokade! Rokade!" roepen. Zo zullen we die poes van jou wel vlug vinden. Wat denk je me daarvan?'

'Dat domme plan van jou kan niet werken, koning Eldar', zegt Elly. 'Rokade luistert alleen naar mij. En naar mijn mama.'

Koning Eldar denkt opnieuw na.

'Nou, Elly, als het zo zit, kun je maar beter naast mij in de koninklijke koets komen zitten en mee het koninkrijk rondrijden, want die poes van jou kan overal zitten. Zo kun je zelf overal "Rokade! Rokade!" roepen.'

Koning Eldar gebruikt het woord 'zitten' heel vaak, omdat hij zelf voortdurend zit: op de troon, 's middags aan tafel voor de flink uitgebreide lunch, in het koninklijke rijtuig en in het koninklijke bed waarin hij zijn uitgebreide ontbijt en zijn zeer uitgebreide diner nuttigt.

Het fijne aan koning Eldar is dat hij je soms zomaar een lift in de koninklijke koets aanbiedt en je daarbij gewoon naast hem mag zitten. Een beetje krap, maar lekker zacht aan alle kanten. Je moet het echter niet te bont maken. Zo wilde boer Bert van Elmo eens zowel zichzelf als zeven kippen, een haan en een heel groot modderig varken in de koninklijke koets laten meerijden om op bezoek te gaan bij zijn broer, boer Bart van Elmo, maar dat ging mooi niet door.

'Je komt er niet in met die beestenboel van je, Bert! Te gortig is te gortig!' zei koning Eldar toen flink en dat was dat.

Nu zit Elly naast de koning.

'Rokade, Rokade!' roept ze, maar zonder resultaat.

De koning wil dapper 'Rokade! Rokade!' meepiepen, maar de 'Rok-' is nog niet over zijn lippen als Elly hem bestraffend aankijkt.

'Je jaagt mijn poes weg met je gekrijs, koning Eldar!'

'Ja, ja, Elly...' zucht koning Eldar. Hij kijkt naar de onderste rand van zijn kroon. Die drukt zwaar op zijn bolle hoofd. Het liefst zou hij zonder kroon in zijn koets rondrijden, maar de koninklijke raadgever beweert dat een koning zonder kroon hetzelfde is als een naakte koning en koning Eldar wil beslist niet in zijn bolle blootje door het koninkrijk rijden.

De vreselijke draak

Veel mensen houden de koets aan vandaag. Koning Eldar begint zich af te vragen of hij wel genoeg eten in zijn trommel heeft om de dag door te komen.

'Ha die Bert', zegt koning Eldar flets.

'Rokade! Rokade!' roept Elly.

'Ik heb een klacht, koning Eldar', zegt boer Bert.

'Het is niet waar!' zucht koning Eldar.

'Toch wel', zegt Bert koeltjes. 'Het is die vreselijke draak, koning. Hij steekt de draak met me. Het is een lastpak. Een pestkop. Een kipknapper. Eergisteren probeerde hij zelfs mij te ontvoeren. Gelukkig kon ik me redden door in mijn nieuwe beerput te springen, want anders had hij mij te grazen genomen. Maar nu haalde hij zijn vreselijke neus voor me op en vloog weg.'

'Dat wil ik graag geloven', zegt de koning. 'Goed gedaan, Bert! Daarmee is jouw probleem opgelost. Tot ziens maar weer!'

De koning wil er graag vandoor, want boer Bert heeft de laatste twee dagen geen ander bad genomen dan dat in de nieuwe beerput en dat kan je duidelijk ruiken.

'Rokade! Rokade!' roept Elly.

'Ik ben nog niet klaar', zegt Bert dunnetjes. 'Gisteren is de draak teruggekomen en hij heeft met zijn hete, stinkende adem mijn haan en zes kippen geroosterd. Waaronder Berta, mijn lievelingskip.'

'Oei!' schrikt koning Eldar. 'Berta geroosterd, zeg je, Bert?'

'Perfect geroosterd', zegt Bert. 'Met saus en al.'

Koning Eldar kan het niet helpen dat zijn tong even over zijn lippen glijdt. Gebraden kip lust hij wel. Maar hij weet zich te beheersen, zoals het een koning betaamt.

'Dat is erg, Bert', zegt de koning. 'Vooral omdat je al de vijfde bent vandaag met klachten over die vreselijke draak. Hij heeft immers niet alleen jouw haan en kippen...'

'Waaronder Berta!' onderbreekt Bert de koning onbeleefd luid.

'...waaronder Berta, gebraden,' gaat koning Eldar verder, 'maar hij heeft ook heel lelijk geblazen naar mevrouw van Elmo, eigenares van restaurant De Vetgans. Haar hele achterkant is verbrand.'

'Dat mevrouw van Elmo haar dikke kont heeft verbrand is ook erg', geeft Bert toe. 'En ik aanvaard dat je enige tijd uittrekt voor het inspecteren van de schade achteraan aan een onderdaan als mevrouw van Elmo van restaurant De Vetgans. Maar ik ben ook een onderdaan, koning Elmo! Ik heb ook mijn rechten! Mevrouw van Elmo heeft haar kostbare achterwerk nog, al kan ze er dan een paar maanden niet meer op zitten, maar ik ben mijn dierbare Berta helemaal kwijt!'

'Daar heb je gelijk in, Bert', zegt koning Elmo. Hij zweet nu verschrikkelijk. 'Maar als je je perfect geroosterde Berta hebt opgegeten, met saus en al, dan heb je er toch nog wat aan gehad, als je begrijpt wat ik bedoel.'

'Berta opeten!' roept Bert luid uit. 'Dat is walgelijk wat je daar zegt! Hoe kan je nou je beste...'

'Ach, donder op met je kip, Bert! Neem toch een bad, man', zegt Elly plotseling. 'Woesja! Doorrijden maar weer, koetsire!'

De koets rijdt meteen verder. Bert blijft sprakeloos achter. Hij is heel boos. Koning Eldar steekt zijn rode hoofd uit het raampje.

'Ik doe er wat aan hoor, Bert!' roept hij. 'Reken maar op mij!'

'Poeh!' zegt Elly.

'Dat was heel onaardig van je, Elly. Je verbaast me', zegt koning Eldar. 'Stoppen bij de eerste telefooncel, koetsier.'

'Rokade! Rokade!' roept Elly, terwijl de koets de Donderse Bergen nadert. Die liggen precies in het midden van Elmo.

'Een telefooncel, Sire, vooraan rechts', zegt de koetsier. De koets stopt met een ruk. Eldars kroon schuift over zijn dikke krullen en voor zijn ogen.

'Even bellen, Elly', zegt koning Eldar, terwijl hij moeizaam zijn kroon naar achteren tikt. 'Ik hoop maar dat ridder Lionel thuis is. Die ridders rijden zoveel rond tegenwoordig. Altijd maar problemen zoeken om op te lossen. Heel ijverig.'

Lionel is een neef van koningin Emma. Voor de koning met de koningin trouwde, was Lionel een boer, maar nadat de koning hem in een vrolijke bui tijdens het koninklijke huwelijksfeest tot ridder geslagen had, met twee blauwe plekken en een schitterende buil op Lionels voorhoofd tot gevolg, verruilde Lionel zijn boerderij voor een kasteelruïne en een bijhorend tweedehands harnas. Sindsdien zwerft hij door het land, op zoek naar onrecht en naar jongedames met genoeg nood om eruit gered te worden. En, dat moet iedereen toegeven, hij brengt het er aardig vanaf, want hij leeft nog.

'Hallo, Lio, ouwe reus! Je spreekt hier met Hoogweledelgeboren Koning Eldar de Eerste de Beste van Elmo', zegt koning Eldar. 'Luister eens, beste zwager, er is een probleem met een vreselijke draak. Kan jij daar wat aan doen?'

'Dat spijt me nou echt en oprecht, Eldar, maar ik ben meer het type ridder voor het redden van jongedames in nood', antwoordt Lionel aan de andere kant van de lijn. 'Draken vallen onder de bevoegdheid van mijn collega, ridder Johan van Elmo. Die is veel beter in het ruwe werk.'

'Heer Johan moet deze keer passen, Lio', zegt koning Eldar. 'Zijn harnas is bij het laatste steekspel helemaal uit model geraakt en nu moet hij elke dag naar de smid van Elmo om zich een nieuw exemplaar te laten aanmeten. Je weet hoe moeilijk dat is met al die frutsels en zo. Nee, Lio, ik denk echt dat jij eropaf zult moeten. Je bent onze enige hoop, kerel.'

REBECCA
ASSEPOESTER

'Vooruit dan maar', geeft Lionel toe. 'Ik kom eraan. Waar zit die draak?'

'Geen idee, Lio. Hij is het laatst gesignaleerd aan de achterkant van mevrouw van Elmo van restaurant De Vetgans en bij kip Berta van boer Bert van Elmo.'

'Eén draak: opsporen, bekampen, verslaan en doden', zegt ridder Lionel zakelijk. 'Dat wordt een gepeperde rekening, zwager!'

'Rustig aan, Lio. Peperen hoeft niet. Vergeet niet dat binnen enkele maanden het jaarlijkse Gezellige Feest van de Dikkerds er weer aankomt.'

'Ik zal er zijn, reken maar!' zegt Lionel en hij legt de hoorn neer.

'Opgehangen', zucht koning Eldar. 'Nou ja, als hij maar afrekent met die vreselijke draak, dan is iedereen tevreden en wordt alles weer heerlijk rustig. Ik hoop dat het een eetbare draak is. Hmmm, met pepersaus misschien. Ja, ik zie die draak wel zitten als hoofdgerecht op het Gezellige Feest van de Dikkerds. Woesja!'

De koninklijke koets rijdt weer verder. Hoe dichter ze de Donderse Bergen nadert, hoe erger het wordt. Steeds meer mensen doen hun beklag over het gedrag van de vreselijke draak.

'Hij heeft me heel lelijk aangekeken!'

'Hij heeft onze barbecue met zijn vlammende adem in brand gestoken! Er bleef maar één verkoold worstje over!'

'Hij heeft vreselijk akelig gelachen!'

'Hij is een afgrijselijk serpent!'

'Zijn vlammen stonken. Hij poetst zijn tanden niet!'

'Hij had een stem als van huilende honden!'

En zo gaat het maar door. Niemand is gelukkig met de streken van die vreselijke, drommelse, donderse draak.

In de Donderse Bergen

De koetsier, koning Eldar, Elly en de twee koninklijke paarden hebben de huizen en boerderijen van Elmo achter zich gelaten. Ze rijden al een hele tijd omhoog, slingerend door het Drakenbos, dat de uitlopers van de Donderse Bergen bedekt.

'Rokade! Rokade!' roept Elly, misschien al voor de duizendste keer, als de koets onder een overhangende rots van de Drakenberg rijdt.

'Stil toch, lieve kind!' fluistert de koning luid. 'De vreselijke draak mag je niet horen!'

'Maar ik wil dat mijn poes mij hoort!' protesteert Elly.

De koning wil op zijn beurt weer wat zeggen, maar Elly luistert niet naar hem. Ze hoort wat!

'Rokade!' glundert Elly. 'Ik heb haar duidelijk gehoord. Geen andere poes jankt zo mooi en muzikaal als zij. Ze is daar ergens! Stoppen, koetsire!'

Elly springt uit de koets en loopt meteen het Drakenbos in.

'Woesja! Kom terug, Elly!' roept koning Eldar haar na. 'Hoor je niet hoe de vreselijke draak loeit in de Drakenkloof? Hoe moet ik aan je mama uitleggen dat je verdwenen bent in het Drakenbos, waar ik je niet heb teruggevonden, zelfs niet na uren speuren op gevaar van mijn eigen koninklijke leven?'

De koetsier zucht en kijkt naar de hemel. Loop haar dan achterna, koninklijke sufferd! denkt hij. Hij vindt Elly een hele fijne meid en dat is niet alleen maar omdat ze hem koetsire noemt. Maar hij zegt niets. Zijn werk bestaat uit knikken en rijden en niet uit zeggen wat hij denkt. Dat doet de koning zelf wel.

'Ik denk dat we het best verder rijden, koetsier', piept koning Eldar.

De koets rijdt verder.

Elly dringt dieper en dieper het Drakenbos in.

'Rokade! Rokade!' roept ze.

Ze hoort haar poes antwoorden, zwak maar duidelijk. Plotseling komt ze aan de voet van een steile rots.

'Klimmen, Elly', spreekt Elly zichzelf moed in. 'Dit is echt iets voor een echt meisje zoals jij.'

Elly is klein, licht, handig, sterk en slim. Ze klimt gezwind omhoog. Algauw komt ze op een plat stuk rots. Daarachter gaapt een donkere opening, zo groot als de deuren van de voorraadkamer van het koninklijk paleis. Aan de rechterkant van de opening staat een eenzame boom.

'Dat moet de ingang van de Drakengrot zijn!' schrikt Elly. 'Ik zal daar maar eens een kijkje nemen. Een kleintje... Even piepen.'

Elly is niet ongelooflijk dapper, maar wel flink nieuwsgierig. Bovendien wil ze haar poes terug.

'Wel, wel, we krijgen gezelschap!'

Elly blijft geschrokken staan. Die stem klonk zoals een enorm groot en enorm roestig soepblik!

Iedereen kent mij

Achteraan in de grot verspreidt zich een enorme gloed. De vreselijke draak schuifelt in Elly's richting. Het is een kanjer, een draak van de grootste soort, geen bovenmaatse leguaan of krokodil, maar een echte, appelblauwzeegroene, dertig meter lange, vuurspuwende draak met woeste, gele ogen en een gevorkte tong en vleugels als een enorme vleermuis en klauwen als een reuzenadelaar en een kloppend hart aan het uiteinde van zijn vervaarlijk zwaaiende staart.

Elly vindt hem nogal meevallen. Ze is niet bang, want ze kent draken uit haar boeken. Deze kijkt een beetje sloom, vindt ze. Zoals koning Eldar soms kijkt, als hij moe is van de hele dag op zijn troon te zitten, of zoals bij het schaaktoernooi, toen Elly een slimme zet deed. Elly glimlacht nu ze daaraan terugdenkt.

'Gr...' gromt de draak. Het komt van ergens heel diep in zijn buik. Uit zijn neusgaten komen gele rookspiraaltjes.

Elly denkt na. Draken hebben graag dat je bang voor ze bent en schreeuwend en krijsend wegrent, dat heeft ze zo op school geleerd. Maar als ze doet zoals ze geleerd heeft, komt ze niet te weten of Rokade hier is.

Ik doe gewoon alsof ik niet bang ben, besluit ze.

'Excuseer, beste... Eh...'

'Traak, te freselijke traak!' stelt de draak zichzelf voor. 'Ken jij mij niet, miesje? Iedereen kent mij! Overal waar ik kom roepen de mensen mijn naam als ze mij zien. Zo ben ik hem trouwens zelf te weten gekomen!'

'Ik ben een meisje en geen miesje', zegt Elly. 'Ik heet Elly.'

'Elly? Wat een aangename naam is dat! Ik heb nog nooit eerder een Elly opge... eh... op visite gehad.'

'Vreselijke draak, zeg eens eerlijk, heb jij mijn poes ergens gezien?'

'Poes?' De vreselijke draak doet zijn best om poeslief en onschuldig te kijken, maar dat is moeilijk als er gele wolkjes uit je neusgaten komen en de vierhonderd drieëndertig gevaarlijke tanden in je bek zichtbaar worden door je grijns. Vroeger had de draak vierhonderd vierenveertig tanden, maar hij is er elf kwijtgeraakt bij een pijnlijk mislukte landing in de mist.

Traak peutert in zijn oor met zijn staart.

'Poes?' zegt hij nog eens. Met getuite lippen en diepe kuilen in zijn wangen deze keer.

'Jouw', miauwt Rokade.

'Aha!' zegt Elly streng.

Traak zucht diep. Daarna opent hij de klauw van zijn rechtervoorpoot en Rokade wipt eruit te voorschijn. De lapjeskat springt onmiddellijk op Elly's schouder. Ze ronkt als het scootertje dat prins Elmos voor zijn verjaardag heeft gekregen.

'Rokade! Je bent een stoute weglooppoes!' zegt Elly. 'Bedankt, vreselijke draak, dat je op haar gepast hebt. Nu moeten we echt gaan hoor!'

'O ja?' vraagt de draak verwonderd.

Elly aarzelt. Traak kijkt echt bedroefd.

'Waarom blijf je niet wat? Het was net zo gezellig. Ik zal je mijn grot laten zien, ja?' stelt hij voor.

'Goed', besluit Elly. 'Even dan.'

'Oh, woepie woepie woepie', zegt de draak. Hij voert speels een handstandje uit. 'Tank je wel, miesje. Je hebt er geen idee fan hoe gelukkig je me maakt!'

Ik kan hem maar beter niet boos maken, denkt Elly. Ik wil niet dat hij met mij en Rokade hetzelfde doet als met de tere achterkant van mevrouw van Elmo van restaurant De Vetgans en met kip Berta van boer Bert.

Traak is heel blij met Elly's besluit.

'Dit is nu de Trakengrot', glimt hij trots. 'Een hele grote inkomhal, zie je wel, Elly? Stromend water ritselt gezellig langs de muren en op de vloer en aan het plafond zie je aardige stala... eh... van die drup en drop dingen. Sommige gaan op en andere komen neer. Keurig knussig en kunstig, niet?'

'Stalactieten en stalagmieten', zegt Elly. 'Heel mooi hoor, vreselijke draak.'

Traak bloost. De sluimerende vuren in zijn buik kleuren de natte wand van de grot als koper.

'Oh, dolletjes, je vindt het mooi, Elly. En dit is de logeerkamer. Eentje van de vele logeerkamers. Maar wel de grootste en de mooiste. Jouw kamer, Elly!'

Help! denkt Elly.

'Ik kan echt niet blijven, draak', zegt ze vlug. 'Mijn mama verwacht me voor het eten. Ik moet haar bovendien helpen om het klaar te maken. Het spijt me, maar ik kan echt niet blijven.'

Traak zwaait met zijn staart. Dat doet hij altijd als hij boos is. Ook zijn spraakgebrek komt weer naar boven. Als Traak goedgemutst is en flink zijn best doet, lukt het hem om de woorden vrij keurig uit te spreken, maar als hij zich opwindt, let hij er niet meer op en dan loopt het mis.

'Dat is nu fervelend', zegt hij gemelijk. 'Ik tacht dat je het begrepen had, Elly, maar misschien heb ik het niet goed uitgelegd.'

'Wat begrepen?' vraagt Elly. 'Wat uitgelegd?'

'Dat je mijn eh... gefangene bent. Dat ik je hier gefangenhoud foor het losgeld.'

'Losgeld?' roept Elly verbaasd uit.

'Houtsssssstukken', lispelt Traak begerig.

'Houtstukken? Je zal goudstukken bedoelen zeker', zegt Elly.

'Ja, natuurlijk bedoel ik...'

Traak klemt zijn tanden op elkaar. Hij heeft zijn ogen tot donkere strepen geknepen en zijn hele lijf loopt warm. Hij ziet eruit alsof hij dringend een heel groot en heel hardgekookt ei wil leggen.

'... ggggoudsssstukkensss!'

'Haha, die is goed', lacht Elly. 'Mijn mama en ik zijn heel arm, draak. We bezitten geen enkele gouden cent.'

'Het mag ook zilver zijn', zegt de draak vlug.

Elly kruist de armen en schudt haar hoofd.

'Ook geen zilver', zegt ze.

'Wat jammer', zegt Traak. Hij strekt zich uit voor de uitgang en fronst de schubben boven zijn ogen. Elly wacht af. Ze denkt er even aan om te proberen over de draak naar buiten te klauteren, maar zijn groene schubben zijn glad en bovendien denkt de draak heel diep na. Draken lopen warm over hun hele lijf als ze nadenken. Hoe dieper ze denken, hoe warmer ze worden.

'Hé', zegt de draak plotseling. 'Niet getreurd, Elly. Als je mama niet kan betalen, dan moet de koning dat maar doen. Tenslotte is hij de koning van Elmo en hij moet voor zijn onderdanen zorgen als ze in de puree zitten.'

'Puree?' roept Elly geschrokken uit.

'Niet bang zijn', zegt Traak. 'Ik bedoel het niet letterlijk. Ik zal je niet opeten. Erewoord. Toch niet als de koning betaalt.'

Elly kijkt heel donker.

'Goed, goed, anders ook niet', geeft Traak toe. 'Ik zal je niet helemaal opeten... ik bedoel helemaal niet opeten... Hé, wat is dat nu weer?'

'Daar blaast iemand op een bazuin', zegt Elly. 'Een gedeukte bazuin, zo te horen.'

'Pah! Net nu we zo gezellig stonden te kletsen. Je zult het

zien, Elly. Het is vast een fan die ferfelende ridders, een van die uitslovertjes die vinden dat ze met elke fatsoenlijke traak moeten fechten. Fechten, fechten, fechten, dat is alles waar ze aan denken. Alsof er niets mooiers bestaat in het leven. Toneel, bijvoorbeeld. En opera! Ah, opera, Elly! Elke nieuwe opera smaakt weer naar meer. Geparfumeerde hapjes, heel sjiek hoor. Maar ridders! Se kunnen niet behoorlijk worstelen of fliegen, om van fuurspugen nog maar te zwijgen, en se liggen zwaar op de maag met dat harnas en die lans en zo... Kom mee, we zullen maar gaan kijken.'

Elly volgt Traak naar buiten. Daar zien ze ridder Lionel, die een stuk perkament aan de eenzame boom spijkert.

'Agrum', schraapt Traak zijn keel. 'Agrum hum hum...'

Dat heeft onmiddellijk effect. Heer Lionel wordt over de rand naar beneden geblazen. Hij rolt de Drakenrots af met het geluid van een op hol geslagen betonmolen.

'Wees eens lief, Elly', zegt Traak. 'Lees even voor wat daar staat. Ik heb mijn bril niet bij me.'

Elly bekijkt het perkament.

'Het is het gewone formulier dat ridders gebruiken voor het uitdagen van draken tot een tweegevecht op leven en dood', zegt ze.

'Welke namen zijn erop ingevuld?'

'Ridder Lionel de dappere van Elmo en Draak van Drakengrot.'

'Gha!' sneert Traak. Hij braakt walgend een vlammetje uit. 'Se kunnen niet eens mijn naam juist spellen. Ik ben Traak! Traak, de vleselijke... eh... te freselijke Traak! Sonder faste woonplaats bovendien. Niks fan Drakengrot. Fan... van meself! Gha! Ik haat spelfouten, Elly. Wraak zal mijn zijn. Gepeperde wraak! De wraak van Traak is altijd raak! Ugh!'

'Ugh?' vraagt Elly.

'Dat leg ik je nog weleens uit', zegt Traak. 'Datum van het gevecht?'

'Eenendertig augustus, tien uur in de ochtend, op het koninklijke dorpsplein', leest Elly. 'Bah, wat een rotstreek van die gekke Lionel! Dat is nog twee maanden! Bovendien moet ik de dag erna al naar school!'

'Zie je wel, die ridders zijn ettertjes', zegt Traak enthousiast. 'Ik heb het je toch gezegd, Elly. Pretdrukkers zijn het. Zal ik deze voor je achternavliegen en hem met mijn heetste vlammen roosteren in zijn blikken jasje van likmevestje?'

'Ach nee, laat maar zitten', zegt Elly.

Traak zucht van spijt. Hij had Elly graag een plezier gedaan.

'Zeg eens, Elly. Heeft die knurft van een ridder Lionel veel geld?'

'Hij heeft zijn hele bezit verruild voor een kasteel en een tweedehands harnas. Ik denk niet dat hij al veel geld bij elkaar geridderd heeft. Waarom wil je dat weten?'

'Ridders maken nooit haast om met een draak te vechten', legt Traak uit. 'Die Lionel gaat er eens diep over nadenken hoe hij dit gaat aanpakken. Hij is niet van het dappere type. Dapperiken die bestormen meteen de Drakenberg, zodat ze buiten adem boven aankomen en de draak ze als een tennisbal kan wegmeppen. Ik mep altijd raak, Elly, en ze komen nooit terug. Elke slag van Traak is raak! Ugh!'

'Zo zo', zegt Elly. 'Alweer ugh.'

Haar koele reactie heeft Traak een beetje van zijn stuk gebracht, maar hij gaat toch dapper door.

'In ieder geval beseft die Lionelspersoon dat hij in een eerlijk gevecht geen kans maakt tegen mij. Die komt nog weleens terug om het op een akkoordje te gooien, let op mijn warme woorden!'

'Wat bedoel je met een akkoordje?' vraagt Elly.

'Een deal, een zakelijke overeenkomst, een akkoordje', antwoordt Traak. 'Dat gebeurt vaker dan je denkt, hoor. Ridder en draak spreken af om een beetje te dollen met veel rollen en het uitroepen van Aha!s en Oho!s en zo. Heel prettig, al moet je uitkijken dat je zo'n ridder niet te veel plet, daar kunnen ze niet tegen. Maar spektakel moet er zijn. De ridder kreunt en dreigt en de draak spuwt koud vuur in het rond. Heel mooi allemaal, net echt. Tenslotte rolt de draak op zijn rug en dan plant de ridder zijn voet in de buik van de draak en heft zijn zwaard. Daar wordt een foto voor de krant van gemaakt en klaar is de sigaar! De draak blijft voor dood liggen – niet makkelijk – tot iedereen naar huis is en daarna staat hij gewoon weer op en vliegt verder naar een volgend optreden. Sommige draken deden vroeger drie shows per dag, Elly! Helaas zijn tegenwoordig de meeste helden erg arm. Een draak komt nauwelijks nog uit de kosten...'

'Kosten?!' roept Elly uit. 'Jij hebt helemaal geen kosten, draak! Je hoeft er alleen maar op af te gaan en te vechten. Of te doen alsof! Poeh!'

'Poeh!' blaast Rokade ook.

'Hola, juffies!' zegt Traak. 'Ik merk dat jullie geen benul van trakenzaken hebben. Als een traak met een ridder afgesproken heeft om zich te laten verslaan, moet hij na het gevecht naar een ver land verhuizen om daar iedereen te gaan pesten. Je hele kostbare slechte reputatie moet je weer van nul af aan opbouwen. Dus heb je om te beginnen de verhuiskosten en de kosten voor een nieuwe woning. Onderweg breekt een en ander, dat zal je altijd weer zien. Jullie hebben er geen idee van hoe ruw verhuizers soms met de spulletjes van een draak omspringen. Dan zijn er nog de schubben van je pantser die je moet vervangen. Die dingen groeien niet op een draak zijn rug, weet je! Ook al wordt er niet echt gevochten, schade aan je pantser heb je altijd. Heb je er enig idee van hoeveel één schub kost, Elly? En ook het hart aan het uiteinde van je staart kan breken. En dan kan je het wel schudden, maar daar wordt het niet beter van. Je weet duidelijk weinig af van inkomsten en uitgaven!'

'Weet ik alles vanaf', zegt Elly koppig. 'Ik krijg maar een halve ijzercent zakgeld en daar moet ik de hele week mee doen.'

'Schandelijk! Traakroepend!' roept Traak uit. 'Een halve ijzercent? Daar koop je bijna niks voor. Dat is gewoon vrekkig!'

'Waag het niet mijn mama een vrek te noemen, Traak! Als jij niet oppast, dan trap ik op je hart.'

'Nee, nee, natuurlijk niet!' schrikt Traak. 'Excuseer, ik flapte er zomaar wat uit. Mama's zijn heerlijk, ik kan het weten. De echte zijn nooit vrekkig, maar gul in warmte en liefde en alle fijne dingen en zo. Ah, lieve Elly, het is een heel eind van mijn hart naar mijn mond en daardoor komt er soms iets anders over mijn tong gerold dan wat ik bedoel.'

'Ja, ja, al goed', zegt Elly. 'Maar wat doen we nu?'

Een brief voor Elly's mama

Traak denkt lang na.

'Ik weet het al! Ik schrijf een briefje naar je mama!' roept hij plotseling uit. 'Even mijn bril en papier en een pen pakken, Elly!'

Traak gaat zijn bril in de Drakengrot zoeken. Elly hoort hem rommelen.

'We kunnen er niet vandoor, Rokade,' fluistert ze in het fluwelen oortje van haar poes, 'want dan komt hij ons achterna en roostert hij ons zoals de bolle poep van mevrouw van Elmo van restaurant de Vetgans.'

'Jouw', miauwt Rokade.

'En de jouwe ook hoor', fluistert Elly.

'Gaga!' klinkt het vanuit de grot.

Traak komt weer te voorschijn.

'Hoe vind je mijn bril, Elly? Vind je niet dat ik er nog slimmer dan anders mee lijk?'

'Hij staat je knoertig goed, Traak', prijst Elly.

Elly en Traak gaan naast elkaar zitten. Voor de grot, in de zon. Traak begint te schrijven. Het duurt lang voor hij ermee klaar is. Elly geeuwt. Ze heeft slaap. En trek heeft ze ook.

'Pom pom pom', pommelt Traak. Hij is in zijn nopjes.

In de grot kriept de deur van een van de logeerkamers open. Een oude man loopt de hal in. Als hij Elly ziet, zwaait hij met zijn stok en lacht vriendelijk. Hij komt naar buiten en gaat naast haar op een rotsblok zitten.

'Héhé,' zegt hij, 'lekker warm vandaag!'

'Ik ben Elly, en dit is Rokade', stelt Elly zichzelf en haar poes voor.

'Aangename kennismaking. Ik ben de oude man', zegt de oude man. 'Heb jij al eens een bizon gezien, Elly?'

'Tss', sist Traak. Hij fronst zijn wenkbrauwen. 'Bissonsss. Daar begint hij weer over bissonsss. Bah!'

'Nee', zegt Elly. 'Ik heb nog nooit bizons gezien. Nooit van gehoord ook. Wat zijn bizons?'

'Dat weet ik niet', bekent de oude man. 'Ik heb er ook nog nooit een gezien. Het schijnt dat ze heel bijzonder zijn, maar voor de rest weet ik er weinig van. Ik zou er dolgraag eens eentje zien.'

'Tss', sist Traak opnieuw.

'Wat tss', zegt Elly streng. 'Ik vind het heel interessant wat de oude man zegt hoor!'

'Klaar!' roept Traak trots, alsof hij haar niet heeft gehoord. 'Helemaal klaar, af, mijn brief. De afste brief ooit door een draak geschreven.'

'Laat maar eens zien!' beveelt Elly.

'Alsjeblieft', zegt Traak.

De oude man leest over Elly's schouder mee.

beste mefrouw van elmo

uw togter elly is mijn gefangene, maar met mei is alles hoed. maak u dus maar geen sorgen. foor fandaag en ook niet foor morgen. elly is niet op haar knie gefallen of bij een friendinnetje wat langer blijven spelen. Neen, ze is feilig en wel mijn gefangene. U sult wel luchtig sijn om dat te hooren. Woepie! Breng alsjeblieft morgen hondert houtstukken naar mijn gerot in de tonderse bergen en dan laat ik haar weer frij.

hoog8ent en elke hoede wens,
traak, te freselijke traak.
ps: tank u wel

Elly haalt haar neus op als ze de vreselijke spelfouten van Traak ziet, maar ze zegt niets.

'Hoe ga je die brief bezorgen, Traak?' vraagt de oude man.

Traak denkt diep na. Zijn groene lijf begint te dampen. Dan begint hij plotseling te grijnzen.

'Te poes!' zegt hij.

'Goed idee', prijst Elly.

Ze maakt de brief vast aan Rokades halsband en geeft haar poes een zetje.

'Zo ben jij tenminste al vrij, Rokade', fluistert ze in het bruine oortje van de poes.

'Vlug, Rokade, naar huis!' zegt ze dan luider.

'Naar huis!' zegt Traak ook.

Hij geeft Rokade een zetje, zoals hij Elly heeft zien doen.

De poes rolt pardoes tot bij de rand van het platte stuk voor de Drakengrot. Ze krabbelt boos overeind, steekt verontwaardigd haar staart in de lucht en begint de berg af te lopen. Rokade is een heel slimme poes. Ze weet de weg naar huis te vinden, als ze dat wil.

Chocoladetaart

'Vind je het erg als ik een pijpje opsteek, juffrouw Elly?' vraagt de oude man wanneer Rokade uit het zicht is verdwenen.

'Hier buiten niet', antwoordt Elly. 'Woon je hier al lang, oude man?'

'Tss', zucht Traak. Hij draait zijn gele ogen naar de hemel.

'O ja, ik ben al heel lang de gevangene van Traak', vertelt de oude man. 'Mijn familie heeft geweigerd om het losgeld te betalen dat hij voor me vraagt. Ze willen me zelfs niet terug voor de helft van de prijs...'

'Tss', zucht Traak opnieuw.

'Ik ben er niet boos om hoor', gaat de oude man verder. 'Mijn familie heeft niet veel geld en zolang ik hier ben, kost ik hun niets, begrijp je? En voor mij is het weer eens wat anders, zo op mijn oude dag. Niemand stuurt me hier de straat op om naar de winkel te gaan om melk te kopen, niemand zegt dat ik ergens anders moet gaan zitten omdat er zo nodig onder mijn voeten of achter mijn rug moet worden schoongemaakt...'

'Ik begrijp het', zegt Elly. 'Maar mist u de krant niet en zo?'

'Nee hoor', lacht de oude man. 'De krant is zó vervelend. Nooit eens goed nieuws.'

Elly is niet van plan bij Traak te blijven tot het einde van de vakantie. Ze houdt zich de hele dag opvallend kalm en broedt stiekem op een plan om te ontsnappen.

Die nacht wil ze ervandoor gaan, maar dat valt tegen. Traak slaapt met zijn kop in de grotopening en zijn staart tegen de achterwand, zodat wie wil ontsnappen over zijn gladde lijf moet kruipen. En dat is onbegonnen werk.

De volgende dag klautert Elly's mama naar de Drakengrot. Ze heeft Rokade en zes goudstukken bij zich.

'Mama! Rokade!' roept Elly blij. Mama en Elly en Rokade geven elkaar een dikke knuffel. De oude man glimlacht gelukkig. Traak bloost. Zijn hart wordt helemaal roze.

'Dit is nu de vreselijke draak, mama', zegt Elly.

Elly's mama maakt een lichte buiging.

'Dag mevrouw', begroet Traak haar vriendelijk. 'Ik ben Traak. Traak, te freselijke Traak.'

'Ik ben Elly's mama', zegt Elly's mama. 'Ik heb hier zes goudstukken en een grote chocoladetaart voor u. Krijg ik Elly alsjeblieft terug? Ik mis haar verschrikkelijk. Missen is vreselijk, dat zult u als vreselijke draak wel begrijpen.'

'Ik mis zelden, en zes is te weinig', zegt Traak zakelijk. 'Elly is een schat, mevrouw mama van Elly van Elmo. Zes goudstukken is geen schat. Er stond honderd in mijn brief. Honderd goudstukken en geen cent minder. Eerlijk is eerlijk.'

'Dat is zo', geeft Elly's mama toe. 'Maar ik heb er maar zes kunnen lenen van de bank. Het is te nemen of te laten. U weet toch wel dat een mama niet vaak krijgt wat ze verdient? En hebt u er al eens aan gedacht wat een kind kost?'

'Mefrouw! Ik weet alles fan kosten en onkosten en kostgangers en kostwinners!' spuwt Traak er wanhopig uit.

Het is koud vuur, maar het blijft erg onbeleefd.

'En de koning?' dreint Traak door. 'Kan die niet over de brug komen met de ontbrekende vierennegentig goudstukken?'

'Koning Eldar beweert dat hij dat wel wil, maar dat het niet kan. Hij zit zelf nogal krap bij kas. De troonzaal is net geschilderd en prins Elmos heeft alweer een grotere scooter nodig en dan is er nog het jaarlijkse Gezellige Feest van de Dikkerds dat er aankomt. Daarvoor moet de voorraadkamer van het paleis met eten gevuld worden. De Dikkerds zijn allemaal dol op dure kreeften en zo. Dat kost flinke happen uit de schatkist.'

'Happen! Krap! Kreeft! Krab! Die viese krabbelgluiperds smaken bah ssztout! Se kraken tussssen je tanden en se knijpen gemeen in je tong! U maakt me niet wijs dat iemand daar feel houtstukken wil foor geven, mefrouw mama fan Elly fan Elmo! Hij sit krab in sijn kleren, ja, die fijne koning van jullie! Ik sal eens in sijn schatkist happen!' dreigt Traak fel. Zijn wenkbrauwen schieten een meter omhoog.

'Dat is stelen', zegt Elly. 'Zoiets doe je niet, Traak. Hoewel...'

'Ik wil mijn geld!' huilt Traak. 'Ik heb Elly eerlijk gefangengenomen en nu wil ik hout sien.'

'Ik begrijp het', zucht Elly's mama bedroefd. 'Wat een teleurstelling. Maar Koning Eldar heeft me verzekerd dat ik me geen zorgen hoef te maken, omdat ridder Lionel de draak, u dus, op 31 augustus zal verslaan op het koninklijke dorpsplein van Elmo.'

'Dat is nog twee maanden, mama!' roept Elly boos uit. 'En meteen daarna moet ik al naar school.'

'Bovendien ben ik nogal moeilijk te verslaan', merkt Traak zuinigjes op. 'Het is tot nu toe niemand gelukt.'

Om indruk te maken, blaast hij een vlam over zijn vingertoppen. Daar krijgt hij onmiddellijk spijt van, want hij heeft per ongeluk warm vuur gebruikt en dat doet pijn, zelfs bij een draak. Traak krijgt er de tranen van in zijn ogen. Hij is niet de enige, want ook Elly's mama huilt.

'Rustig maar, rustig maar...' probeert de oude man haar te troosten.

'Het komt allemaal wel goed, mama', zegt Elly flink.

'Jouw', miauwt Rokade. Ze tikt met haar voorpoot tegen Traaks verbrande klauw.

'Het is niet mijn schuld, poes van Elmo', snikt Traak. 'Het is allemaal heel oneerlijk, mefrouw van Elmo. Hier hebt u een zakdoek. Die mag u helemaal natmaken.'

Traak trekt een gebloemd tafellaken uit de plooien van zijn buik te voorschijn en geeft het aan Elly's mama.

'Trouwens, er is nog hoop', gaat Traak verder. 'Als ik eenmaal die ridder hoe-heet-hij-ook-alweer verslagen en geroosterd heb, bedenkt koning Eldar zich vast en geeft hij u toch nog die vierennegentig goudstukken. Ondertussen blijft Elly hier. Ik zal goed voor haar zorgen, daar kunt u van op aan.'

Traaks woorden luchten Elly's mama een beetje op. Ze snuft en glimlacht dapper.

'Goed zo!' zegt Traak. 'Ik ga theezetten. Zo wordt het toch nog gezellig!'

Traak hopt de grot in en begint te rommelen met kopjes en theepotten. Enkele minuten later krijgt hij gelijk: het wordt toch nog gezellig. De chocoladetaart smaakt heerlijk en de thee is drinkbaar.

Terwijl Traak van zijn kopje nipt, buigt Elly's mama zich naar het oor van haar dochter.

'Koning Eldar beweert dat ik me over jou geen zorgen hoef te maken, lieve schat', fluistert ze. 'Volgens hem zul je wel een manier vinden om de draak die jou geschaakt heeft te verschalken, want je kunt immers zelf zo goed schaken...'

'Wat is die gierige Eldar toch een mispunt!' reageert Elly boos. 'Dat zegt hij alleen maar omdat hij niet wil betalen en omdat hij niet kan verkroppen dat ik hem op het jaarlijkse schaaktoernooi van Elmo heb verslagen. Het was niet eens moeilijk, want koning Eldar kan niet met paarden overweg. Daar heeft hij zijn koetsire voor nodig. Ik heb helemaal geen plan om te ontsnappen, mama!'

'Tss', sist Traak. 'Fluisteren is heel onbeleefd, hoor!'

'Ik fluister zoveel als ik wil!' brult Elly boos.

'Tss', sist Traak weer. Zijn wenkbrauwen fronsen.

'Hebt u al eens een bizon gezien, mevrouw?' vraagt de oude man vlug.

'Neen', antwoordt Elly's mama. 'Wat zijn bizons, oude man?'

'Dat weet ik niet', zegt de oude man. 'Ik heb er nog nooit een gezien.'

'Ik waarschijnlijk ook niet', zegt Elly's mama. 'En als ik er al een gezien heb, dan wist ik niet dat het een bizon was.'

'Ze zijn heel zeldzaam, denk ik', zegt de oude man.

'Tss', mompelt Traak. 'Niksss seldsaam.'

Elly's mama blijft tot het avond wordt. Dan gaan zij en Rokade weer naar huis. Zonder Elly.

Ach pijn, ach wee!
aanhoort u allen mijn zoete gezangenen
Nooit zie ik meer de ZEE
Morgen zijn we mizzchien gehangenen
O! was ik maar een ree!!!
Dan zou ik niet vergeefs
naar de vrijheid
verlangenen

De minstreel

Het leven in de Drakengrot gaat zijn gangetje. De draak staat elke ochtend vroeg op om op mensenjacht te gaan. De eerste dagen van Elly's gevangenschap rolt hij voor hij wegvliegt een grote steen voor de ingang van de grot om te beletten dat Elly en de oude man ontsnappen. Maar nadat ze beloofd hebben dat echt niet te zullen proberen als hij er niet is, laat Traak de ingang overdag vrij. Zo kunnen Elly en de oude man samen in de zon zitten op het platte stuk voor de Drakengrot. Ze hebben allebei al een gezonde bruine kleur. Ze kletsen wat af, die twee, en als ze daar genoeg van hebben, zwijgen ze samen en kijken ze hoe de nevels door het dal en de Drakenkloof sluipen.

De vierde dag brengt de draak een minstreel mee. Dat is een soort zanger met een luit (een soort gitaar), die de hele dag smartlappen (een soort liedjes over gebroken harten en zo) zingt. De minstreel zingt de hele dag en de hele nacht over trieste gebeurtenissen. Hij zingt vreselijk luid en vreselijk vals.

Ach pijn, ach wee!
Aanhoort u allen mijn zoete gezangenen.
Nooit zie ik meer de zee!!
Morgen zijn we misschien gehangenen.
O! Was ik maar een ree!!!
Dan zou ik niet vergeefs naar de vrijheid verlangenen...

'Als je een ree was, dan had ik je al lang geroosterd en gebarbecued!' zegt Traak. 'Tss!'

'Verlangenen?' zegt Elly. 'Dat woord bestaat niet, minstreel. Verlangen moet het zijn. Naar de vrijheid verlangen...'

Maar de minstreel zingt met gesloten ogen verder, terwijl

zijn luit onder zijn handen piept en kriept en kreunt en steunt.

'Jij mag vandaag vrij', zegt Traak op de zesde ochtend.

'O nee!' zingt de minstreel.

Elly en de oude man bedekken hun oren met hun handen.

'O ja! Ik ga aanpakken', zegt Traak.

Hij grijpt de minstreel prompt bij zijn kraag en vliegt ermee weg.

'Minstreel, heb jij weleens bizons gezien?' roept de oude man het tweetal na, maar ze zijn al te ver weg om hem te kunnen horen.

Elke middag klimt Elly's mama naar boven om een cake of een chocoladetaart te brengen. Elly en de oude man zijn altijd blij haar te zien, want Traak kookt vreselijk slecht. Hij heeft maar één kampeervuurtje om op te koken en alles wat hij klaarmaakt, smaakt en ruikt naar kampeergas.

Ook vandaag wachten Elly's mama en Elly en de oude man weer tot Traak zijn dagtaak heeft volbracht voor ze de taart aansnijden.

'Hier is een mooie taartpunt voor jou, Traak', zegt Elly's mama. 'Stop die maar in je staart.'

'Mm, tank je wel', glundert Traak. Hij is dol op de chocoladetaart van Elly's mama.

'Wat heb je met de minstreel gedaan?' vraagt Elly.

'Tss', sist Traak. 'Die heb ik in het dorp van Elmo achtergelaten. Het was een vergissing om hem te ontvoeren. Hij bezit geen cent. Tss. Laat ze in het dorp maar genieten van zijn gezangenen!'

'Dom van mij dat ik er niet op tijd aan gedacht heb hem naar bizons te vragen', schudt de oude man zijn grijze hoofd.

Traaks wenkbrauwen schieten omhoog.

'Bissons', lispelt hij. 'Als je nog één keer over bissons seurt, houten man, dan…'

‘Alweer een heleboel werk voor niets, arme vreselijke draak’, zegt Elly’s mama vlug.

Traak kijkt haar dankbaar aan.

‘Soo iss het, mefrouw mama fan Elly fan Elmo! Het is echt niet makkelijk om een traak te zijn. Het valt niet mee!’ weeklaagt Traak. ‘Als er maar eens een ssstinkende rijkaard me vroeg om een schat te bewaken of zo, dan was ik meteen uit de problemen. Maar niks hoor, niemand vraagt me wat!’

‘Arme draak’, zegt Elly nu ook.

‘Ja hé’, piept Draak. ‘Arme, arme Traak, dat heb je raak gezegd, Elly. Tank je wel.’

In de gele drakenogen blinken twee roze tranen.

Goede zaken

Het is echter niet nodig om medelijden te voelen voor Traak. De volgende twee weken slaagt hij erin om een aantal mensen te ontvoeren en weer vrij te laten, nadat het losgeld betaald werd.

Maar dat alles verloopt niet erg prettig. De meeste gevangenen klagen over de te kleine, vochtige kamertjes en over de harde bedden en over de pannenkoeken die naar kampeergas smaken en ruiken. Traak zelf loopt voortdurend heimelijk te knorren over de extra uitgaven voor eten, kampeergas, wasgoed (want elke ontvoerde krijgt elke dag schone lakens) en tandenborstels. Alleen Elly en de oude man lijken zich in hun lot te schikken, hoewel niemand van de nieuwe ontvoerden tot nu toe iets over bizons heeft kunnen vertellen.

Op een dag, tegen het einde van juli, zitten Elly en de oude man in de zon op de thuiskomst van Traak te wachten.

'Je bent stil vandaag', merkt de oude man op. 'Je zit te broeden als een kip die de belangrijkste schaakpartij van haar leven speelt, een partij op leven en dood.'

Elly glimlacht. Om het grapje van de oude man? Of om een andere reden?

Daar komt Traak aanvliegen. Vandaag heeft hij meneer Molk van Elmo, de onderwijzer, ontvoerd.

'O, meneer Jopo,' roept Elly uit, ' heeft die vreselijke draak u ontvoerd? Wat erg!'

'Wat zeg je me daar?' vraagt meneer Molk verwonderd. 'Ik ben meneer Jopo niet! Ik ben meneer Molk, de onderwijzer! En jij bent Elly, je zit potvolvissies bij mij in de klas!'

'O ja... ja natuuuuurlijk', stamelt Elly. 'Ja, heel slim van u, meneer Jopo! U... u bent niet meneer Jopo, niet de hele, hele rijke meneer Jopo, maar meneer Molk, de arme, arme onderwijzer, meneer eh... Molk.'

Ze knipoogt zo opvallend naar meneer Molk dat Traak het wel móet zien.

'Stukje taart, meneer Molk?' vraagt de oude man.

'Graag!' zegt meneer Molk blij. 'Je krijgt dorst van door de lucht te vliegen in de muil van een draak. Het is erg opwindend en leerzaam!'

'Dat is het zeker', bevestigt de oude man. 'Heel aardig. Mag ik u iets vragen over bizons?'

'Dat mag je zeker, beste man', zegt meneer Molk. 'Maar ik wil je waarschuwen dat ik er nog nooit van gehoord, laat staan er een gezien heb. Toch kan ik er uren over praten. Dat is tenslotte mijn vak, nietwaar? Wie heeft er al eens een wilde 7 gezien of een vliegende hoofdletter M of een loslopende negenproef?'

Traak neemt Elly even apart.

'Wie is die man, Elly?' vraagt hij gretig. 'Hij beweert dat hij de arme meneer Molk is. Maar jij noemde hem meneer Jopo. En meneer Jopo van de chocolademelkfabriek is een hele rijke pief! Dat weet ik toevallig ook nog eens een keer! Daar kan ik wel duizend goudstukken voor krijgen! Rijkerds zijn goede zaken voor een traak!'

Elly krijgt een kleur. Daar is ze heel sterk in. Ze houdt met haar mama vaak een wedstrijd 'de roodste worden' en dan wint ze altijd.

'Het is natuurlijk meneer Jopo... niet. Maar meneer Wolk, ik bedoel Molk.'

'Je jokt!' roept Traak luid. 'Je jokt jokt jokt. Ik kan het so aan je sien!'

Elly wordt nog roder.

'Gaga!' juicht Traak. 'Oho! Om mij te bedriegen zal je froeger moeten opstaan, Elly van Elmo! Ik vraag tuizend goudssstukken voor meneer Jopo en geen cent minder. Zeker weten! Gaga!'

De volgende dag heeft Traak alweer iemand gevangen die Elly kent. Het is mevrouw Ara van Elmo, die het eten helpt opdienen in restaurant De Vetgans.

'O, hallo, mevrouw Ara!' zegt Elly vrolijk. 'Dit is mevrouw Ara van Elmo, Traak. Zij helpt het eten opdienen in restaurant De Vetgans. Je kunt haar maar beter laten gaan, want ze bezit geen cent!'

'Oho!' zegt Traak. 'Ik heb je wel door, Elly van Elmo! Eerst wilde je me bedriegen met meneer Jopo van de chocolademelkfabriek en nu beweer je weer dat dit mevrouw Ara De Vetgans is. Maar die vlieger gaat niet op!'

'Stomme draak', zegt Elly brutaal. 'Jij denkt natuurlijk dat dit mevrouw Tia van Elmo van de juwelenwinkel is, alleen maar omdat zij en mevrouw Ara als twee diamanten op elkaar lijken.'

'Tiamanten!' roept Traak. 'Ik vraag tuizend tiamanten voor mevrouw Tia! Zij wordt mijn grootste schat.'

'Ach, mallerd', giechelt mevrouw Ara.

Vanaf die dag gelooft Traak niets meer van wat Elly over de nieuwkomers beweert. Elke dag komen er meer mensen bij voor wie hij duizend goudstukken losgeld vraagt. Op 12 augustus is de grot vol, want voor niemand van de gevangenen kan of wil de familie duizend goudstukken betalen.

Traak wordt elke dag bozer vanwege de extra kosten. Bovendien kan hij niet meer uitvliegen, want hij moet voortdurend koken en schoonmaken en bedden opmaken.

Het gaat dan ook niet goed met Traak. Hij heeft een ongezonde lichtgroene kleur en onder zijn gele ogen zitten purperen wallen. Elke ochtend sleept hij zich uit de hal om buiten het ontbijt klaar te maken. Elly en de oude man zijn de enigen die hem daarbij helpen. De oude man is heel handig in het afmeten van de maat voor hele dunne pannenkoeken, die Traak op het kampeervuurtje bakt. Elly houdt zich bezig met het dekken van de ontbijttafel.

'Wat een leven!' klaagt Traak. 'Dit is niet zoals mijn goede vader het mij geleerd heeft, Elly en oude man! Dit is helemaal anders!'

'Hou er dan mee op', zegt Elly. 'Breng iedereen weer naar huis en zoek een ander beroep.'

'Ik kan niks anders dan traak zijn!' roept Traak wanhopig uit. 'Ik ben ervoor in het ei gelegd! Een traak moet doen wat een traak moet doen. Mijn vader was een traak en mijn grootvader ook. Het zit bij ons in de familie. Je mag mijn natuur geen geweld aandoen, Elly! Ik hou niet fan geweld. Ik ben een traak van het gefoelige type!'

'Pf', zegt Elly. 'Als je maar zou willen, zou je best wat anders kunnen zijn dan kipknapper en mensenontvoerder en achterwerkverbrander. Als je wilt, kun je alles, zegt meneer Molk, mijn onderwijzer, altijd.'

'Bijna alles', verbetert meneer Molk, die ook wakker is geworden, haar. 'Bijna alles, Elly. Is het ontbijt al klaar, beste draak? Ik rammel...'

'Neen, het is nog niet klaar, meneer Molk-Jopo-Jokkebrok van Elmo!' brult Traak. Hij jaagt meneer Molk met een lauw steekvlammetje weer zijn kamer en zijn bed in.

'Tss, die mensenboel wordt met de dag brutaler, Elly', moppert Traak. 'Ik krijg er de smoor van in. Is het ontbijt nog niet klaar? Is er al nieuwe tandpasta met aardbeiensmaak? Kan ik een andere kamer krijgen? Bah! Bah! En nog eens bah!'

Ridder Lionel de dappere

'Excuseer', klinkt een schuchtere stem. 'Ik stoor toch niet?'

Traak, Elly en de oude man kijken naar de rand van de open plek voor de grot.

'Ik ben het maar', piept een kleine man in een groot en roestig harnas. 'Lionel. Ridder Lionel. Lionel de dappere.'

De ogen van Traak lichten gemeen op. Lionel waagt een aarzelend pasje naar voren.

'Dat issssss fer genoeg!' waarschuwt Traak. Uit zijn neusgaten ontsnappen twee zwarte rookpluimpjes.

'Kan ik u even onder vier ogen spreken, heer draak? Het gaat over een heel belangrijke zaak... Mm, dat ruikt lekker... Pannenkoeken?'

'Niksss fier ogen!' bromt Traak. 'Niksss pannenkoeken foor jou, blikken mannetje! Hoeveel heb je bij je?'

Lionel schrikt. Hoe weet die draak dat hij naar hier is gekomen om het op een akkoordje te gooien?

'Eh... tien... tien goudstukken...'

De draak trekt zijn voorhoofd in duizend rimpels en kijkt Lionel giftig aan.

'En hoeveel betalen de koning en de mensen van Elmo je om mij te fersslaan?'

'Elf...' stamelt Lionel, 'Elf goudstukken...'

'Elf goudssstukken... Dat ruikt niet lekker. Dat ruikt naar bedrog!'

'Neen, neen, toch niet', zegt Lionel vlug. 'Uw pannenkoek ruikt...'

'Wat?'

'Uw pannenkoek is aan het aanbranden...'

'Patsjikidee!' schrikt Traak. Hij rukt zijn pannetje van het vuur en legt een zwarte pannenkoek op een bordje. 'Die is voor meneer Molk. Ik bedoel meneer Jopo... Zo, vertel nu maar verder, ridder!'

'Het spijt me, heer draak', zegt Lionel. 'Elf goudstukken, kiezen of delen. Ik wil ze u wel allemaal geven...'

'Kiezen of delen, hé? Ik zal jou eens wat vertellen, mannetje. Ik geef je een boodschap mee voor alle Elmodanen die nog niet in mijn grot gefangenzitten. Vanaf nu moeten de familieleden van de gefangenen instaan voor het eten van de gefangenen! Ze moeten het elke ochtend brengen, in broodtrommeltjesss en potjesss en kannetjesss met daarop de naam van de gefangene. En ze moeten elke week het wasssgoed van de gefangenen meenemen in wasssmanden met de naam van de gefangenen erop. En ze moeten foor elke gefangene een nieuwe tandenborssstel brengen met de naam van de gefangene erin gegraveerd. En forken en messen en lepels en... en als ze dat niet doen, dan eet ik de gefangenen op! Dan flambeer ik de gefangenen en eet ik ze op met pannenkoeken en ssstroop! Heb jij dat heel goed begrepen, riddertje elf goudssstukken?'

'Jjjjejaaa...' bibbert Lionel de Dappere.

Traak heeft zichzelf zo zitten opwinden dat hij uitgeput door zijn poten zakt. Hij ademt een diepe warme zucht uit. Ridder Lionel voelt zich, terwijl hij de bergwand afboldert, als het worstje van een hotdog met een ijzeren broodje eromheen. Gelukkig stopt een dikke eik in de Drakenkloof zijn rumoerige reis. Het oude harnas barst open, waarna de ongelukkige ridder in zijn blootje nog een eindje verder rolt en in een distelveldje tot stilstand komt.

De gevangenen laten zich de rest van de dag niet zien. Ze hebben allemaal Traaks woorden gehoord en wachten bang af wat er gaat gebeuren.

Elly en de oude man verzorgen Traak zo goed mogelijk,

maar ze kunnen niet veel doen. Ze laten hem voor de grot in de zon liggen en leggen een nat laken op zijn voorhoofd.

'Arme draak', zegt Elly. 'Het is je natuurlijk allemaal te veel geworden.'

'Je bent niet meer zo jong als gisteren, draak', zegt de oude man wijs.

Traak probeert te begrijpen wat de oude man daarmee bedoelt, maar hij geeft het al vlug op. Zijn laken gaat ervan stomen als hij nadenkt, en bovendien doet nadenken hem vandaag vreselijk veel pijn.

'Ik zal je een verhaal vertellen', zegt Elly. 'Leg je grote kop maar in mijn schoot. Zo. "Zo en niet anders", zegt mijn mama altijd...'

'Mama...' zucht Traak.

'Lang geleden leefde in een mooi paleis een mooi meisje. Ze had haar zwart als een raaf, lippen zo rood als bloed en een huid zo blank als sneeuw. Ze heette...'

'Elly...' murmelt Traak dromerig. Hij glimlacht erbij. Zijn gevorkte tong hangt slap uit zijn bek.

'Nee, ze heette niet Elly', fluistert Elly teder in Traaks grote groene driehoek van een oor. 'Ze heette Sneeuwwitje. Ze was een plaatje. Ze zag eruit om op te eten.'

'Mmm...' sluimert Traak.

'Stouterd', zegt Elly lief. 'Op een dag...'

Negen soldaten

Traak slaapt. Zijn kop rust zwaar op Elly's benen, maar het dappere meisje beweegt zich niet. Als hij slaapt, ziet Traak er niet vreselijk uit. Telkens als hij uitademt ontsnappen twee sneeuwwitte wolkjes uit zijn neusgaten.

'Ik geloof dat hij al opknapt, Elly', zegt de oude man. 'Zijn rook ziet er gezond uit. Als hij straks ontwaakt, zal ik een fraaie omelet voor hem bakken.'

De oude man lurkt tevreden aan zijn pijp.

'Héhé', zegt hij. 'Lekker rustig.'

Elly zegt niets. Ze weet wat de oude man bedoelt. Rustig is lekker voor de oude man en Elly houdt er ook wel van, zo nu en dan, als het niet te lang duurt.

De zon staat hoog aan de hemel als de eerste soldaat van koning Eldar over de rand van de open plek loert. Hij kijkt recht in Elly's ogen. Elly legt haar wijsvinger op haar mond. De soldaat verdwijnt.

Maar niet voor lang. Even later zien Elly en de oude man de negen soldaten van Elmo over de rand klauteren. Ze zijn gewapend met lansen en slepen een groot net mee.

'Wat komen jullie hier doen?' vraagt Elly.

'Wij komen jullie bevrijden', antwoordt de eerste soldaat. 'Heer Lionel heeft de eisen van de vreselijke draak aan de bevolking bekendgemaakt. Dat viel niet in goede aarde, Elly. De onderdanen trokken in een boze optocht naar het paleis. Ze eisten dat koning Eldar iets zou doen. Anders wilden ze een andere koning.'

'O ja, een andere koning', echoot een tweede soldaat.

'Daarom heeft die ouwe Eldar...' gaat de eerste soldaat verder, 'eh... ik bedoel onze Hoogweledelgeboren Koning Eldar de Eerste de Beste van Elmo ons erop uitgestuurd om de draak te bevechten en hem gevangen te nemen, levend of dood.'

'Zo en niet anders!' zegt de tweede soldaat.

'Daar komt niks van in', zegt Elly.

'Maar Elly... waarom niet?' vraagt de eerste soldaat.

'Omdat Traak slaapt', antwoordt de oude man in Elly's plaats. 'Als jullie hem wakker maken, dan spuwt hij onmiddellijk een stroom warm vuur en dan is Elly dood. Daarom!'

De soldaat krabt onder zijn helm. Traaks ademhaling snerpt piepend door de stilte.

'Dat is nu jammer', zegt de soldaat tenslotte. 'Maar wij kunnen hiermee ieder een goudstuk verdienen, oude man. En die draak ziet er niet al te gezond uit. Ik denk dat we hem aankunnen. Als jij zijn hoofd een beetje optilt, Elly, dan stoot ik mijn zwaard in zijn keel en is het afgelopen met de vreselijke draak.'

Elly kijkt heel boos. Ze ziet roder dan ooit en het lijkt alsof er uit haar neusgaten ook wolkjes stoom ontsnappen. Kleintjes. Zwarte.

'Oei!' schrikt de tweede soldaat. 'Oeioeioei.'

'Ssst', sissen de anderen.

'Ik heb een beter idee, heren soldaten', zegt de oude man. 'Als jullie nu eens de gevangenen gevangennamen?'

'Wat bedoel je, oude man?' vraagt de eerste soldaat.

Een paar van zijn maats tikken met hun wijsvinger tegen hun voorhoofd.

'Ik bedoel dat je de gevangenen van de draak zo kant en klaar kunt meenemen', zegt de oude man. 'Ze zitten allemaal te bibberen onder hun bed in de kamertjes van het drakenhol. Als jullie er dapper genoeg voor zijn en een goudstuk willen verdienen, moeten jullie de grot insluipen en de gevangenen gevangennemen en meenemen naar het dorp. Daar kunnen jullie ze dan vrijlaten.'

'Waarom ze eerst gevangennemen?' vraagt de soldaat. 'Ze kunnen toch gewoon met ons meegaan?'

'Vertrouw me nu maar', zegt de oude man. 'Neem ze gevangen. Dat is echt veel beter. Er is geen tijd om jullie precies uit te leggen waarom. Ik denk dat de draak elk moment kan ontwaken... O ja, voor ik het vergeet: hebben jullie weleens bizons gezien?'

'Nee', zeggen de soldaten. 'Daar hebben wij niets mee te maken, oude man.'

Niet lang daarna sluipen de soldaten de rots af met hun levende buit in het grote net. Af en toe botst een elleboog, een knie, een kin of een rug onzacht tegen de rotswand, maar niemand klaagt, niemand maakt een geluid. Ze zijn allemaal doodsbang voor de wraak van Traak de draak als hij ontwaakt.

'Daar gaan ze dan, samen in een net', zegt de oude man zacht. 'Opgeruimd staat netjes.'

'En daar gaat mijn plan!' zucht Elly.

'Oh! Dat spijt me oprecht, Elly. Wat was je plan eigenlijk?'

'Dat wist ik nog niet precies, oude man. Dus maakt het niet zoveel uit dat het niet doorgaat. Je hebt gelijk: opgeruimd staat netjes.'

Elly liegt om aardig te zijn. Haar plan was dat er op den duur zoveel mensen gevangen zouden zitten dat Traak er doodmoe van werd en ze hem met z'n allen hadden kunnen overmeesteren. Maar dat gaat dus niet meer door, want de gevangenen zijn ervandoor.

Traak wordt langzaam wakker.

'Hoewaloesawa! Tjoep tjoep tjoep... Ugh!' gaapt hij. 'Dat was een mooi tukje. En ik had een mooie droom, Elly en oude man. Ik droomde dat de soldaten van koning Eldar hier waren, alle negen. Ze sleepten een net vol goudsssstukken met zich mee, genoeg om te betalen voor iedereen, behalve voor jullie twee...'

'En waarom niet voor ons?' vraagt Elly.

'Dat moet je aan koning Eldar vragen', antwoordt Traak. 'Waar is meneer Jopo? Ik ben onaardig tegen hem geweest. Ik wil het graag goedmaken.'

Traak slentert goedgemutst de grot in, maar hij komt er even later weer uitgestoven alsof hij door een reuzenwesp is gestoken.

'Waar sijn se?' brult hij. 'Waar isss mijn foorraad gebleven?'

'Ze konden er niets aan doen, Traak', zegt de oude man. 'Ze zijn ontvoerd.'

'Precies', zegt Elly. 'Ontvoerd.'

'Ontvoerd...' mompelt de draak. 'Ontvoerd? Dat geloof ik niet. Jullie liegen! Ze zijn ontsssnapt, de onsportiefelingen! Se hebben fan mijn siekte gepruik gemaakt om te ontsssnappen!'

'Echt niet, Traak', zegt de oude man. 'Ze zijn echt ontvoerd. Allemaal.'

'O ja? Welke ongelikte traak heeft me dat gelapt? Was het Magirius de Machtige? Was het die swelbast van een Bong Bong Boeing met zijn dubbele vleugelsss? Was het Gluiperige Gerrit met de gele staart? Of was het die windbuil van een Dunlop uit...'

'Het waren de negen soldaten van Elmo', zegt Elly. 'De soldaten van koning Eldar.'

'Gagààààà!' brult Traak woedend. 'Ik geloof er nietsss van! Leugensens! Gesemel!'

Voor Elly en de oude man nog iets kunnen zeggen, loopt Traak naar de rand van het rotsplatform en springt naar beneden. Daarna verheft hij zich met machtige vleugelslagen hoog in de lucht en begint in een spiraal boven de Drakenrots te vliegen, verder en verder weg van Elly en de oude man.

Niets ontsnapt aan de speurende ogen van de draak. Het duurt dan ook niet lang voor hij de soldaten over de weg van de Donderse Bergen naar het dorp van Elmo ziet lopen. De ontsnapte onderdanen zitten nog steeds in het grote net, hoewel ze smeken om eruit te mogen.

Traak maakt zich klaar om een duikvlucht uit te voeren, maar als hij ziet dat de negen soldaten het net laten vallen en hun lansen stevig omknellen, bedenkt hij zich.

'Hm', denkt hij luidop. 'Daar begin ik niet aan. Ik wil niet eindigen zoals die windbuil van een Dunlop.'

Dunlop is een draak die door een slechte landing – hij had zo pronkerig vuur gespuwd dat hij door zijn eigen rook niets kon zien – boven op een koninklijk hek terechtgekomen is. Sindsdien is hij zo lek als een donderwolk en moet hij voortdurend inademen om niet leeg te lopen.

'Bovendien zal ik jullie niet missen!' denkt Traak. 'Gha! Ik mis nooit!'

Hij scheert een metertje boven de soldaten en steekt zijn tong uit.

'Oei!' schrikt de tweede soldaat. 'Oeioeioei.'

Maar Traak laat hen met rust en vliegt terug naar Elly en de oude man.

Leugensens en een superplan

'Jullie hebben gelijk, Elly en oude man', geeft Traak toe. 'De gevangenen zijn echt ontvoerd. Ik heb ze maar laten gaan, de lastpakken. Ik voel me veel beter zo. Ik voel me opgeruimd.'

'Opgeruimd staat je netjes', zegt de oude man.

'Tank je wel', bloost Traak. 'Ik hoop nu maar dat er voor jullie beiden betaald wordt, want anders ga ik dood.'

'Dood!?' schrikken Elly en de oude man. 'Waarom ga je dan dood?'

'Omdat ik dan geen eten kan kopen voor mijn winterslaap.'

'Kopen?' roept Elly ongelovig uit. 'Ik dacht dat jij alleen maar eten roofde.'

'Tss, tss, tss', doet Traak. 'Wat een onaardige opmerking alweer, Elly van Elmo. Als ik mijn eten moet roven, verlies ik meer gewicht van het vliegen en het vechten en het vuur spuwen en het met mijn staart zwaaien dan ik win door het geroofde eten op te eten! Weet je wel hoeveel zakken kolen en spruitjes en stronkjes bloemkool je moet eten om een behoorlijk vuur te kunnen spuwen?'

'Nee', bekent Elly. 'Dat weet ik niet, Traak.'

'Gaga! Dat weten jullie mensen inderdaad niet, dat heb ik al vaak gemerkt.'

'Ik vind het heel naar voor je als je doodgaat, Traak', zegt de oude man. 'Maar op mijn familie hoef je niet te rekenen om te betalen. Ze kunnen niet eens rekenen, zo dom zijn ze.'

'Ik wil naar huis', pruilt Elly. 'Ik begin me te vervelen, Traak. Zo voor een maand was het wel aardig hier met jou en de oude man, en ik ben je dankbaar voor de vliegpartijtjes en de pannenkoeken, maar nu wil ik naar huis.'

Traak kijkt triest. Hij heeft er alles aan gedaan om het Elly naar de zin te maken. Alles, behalve haar vrijlaten.

'Ach, gaan jullie maar', snikt hij. 'Dan blijf ik wel alleen achter en ga ik deze winter eenzaam en verlaten en alleen in mijn eentje zonder gezelschap dood zonder dat iemand het ziet. Opgeruimd, snif, staat, snif, netjes, snif snif snif...'

'Zo hoeft het toch niet te gaan', zegt Elly. 'Je moet er mij de schuld niet van geven dat jij deze winter dood zult gaan van de honger, Traak.'

'O nee!' huilt Traak nu luid. Er verschijnt een barst in het hart aan het uiteinde van zijn staart. 'Ik ga dood, deze winter! Ik ben nog so jong en so mooi en toch ga ik al tohohohoot!'

'Hou toch op met dat gezeur!' zegt Elly streng. 'Voor een groene draak ben je een vreselijke zwartkijker, Traak! Denk liever na over een oplossing. Hoe kun je nou zo babyachtig huilen! Zo'n grote, flinke vreselijke draak als jij!'

'Maar je zei dat ik doodga!' jammert Traak. 'Dat heb ik heel goed gehoord.'

'Wie gaat er dood?' vraagt een bekende stem.

'Mama!' roepen Elly en Traak samen uit.

'Dag mevrouw van Elmo', zegt de oude man beleefd.

'Ik heb een bericht voor u, heer draak', zegt Elly's mama. 'Ridder Lionel wil u morgen bevechten. Om elf uur. Op het dorpsplein van Elmo.'

'Morgen al?' vraagt Traak verwonderd. 'Waarom moet het plotseling zo snel?'

'Omdat... omdat ridder Lionel daarna op vakantie vertrekt. Hij gaat naar een ver land.'

'Leugensens', zegt Traak prompt. 'Dat kan niet, mevrouw mama fan Elly. Elmo wordt omringd door de Hoge Bergen en daar kan geen mens, geen vogel, geen luchtballon over. Alleen een traak. Jullie Elmodanen weten niet eens dat er verre landen bestaan, mefrouw!'

Elly's mama bloost. Ze is heel slecht in liegen.

'Ze...'

'Ze?' onderbreekt Traak haar.

'De koning en ridder Lionel de dappere willen het gevecht morgen laten gebeuren omdat de soldaten verklapt hebben dat u momenteel niet zo sterk meer bent en...'

'En?'

'En het wordt geen eerlijk gevecht, heer draak. Ze hebben het dorpsplein uitgegraven en er een doek over gelegd met daarop weer een dun laagje aarde. Zodra u daarop landt, zakt u door het doek en wordt u vastgeprikt op honderd lansen.'

'Patsjikidee!' fluistert Traak. 'Honderd lansens! Dat zijn er minstens dertig te veel om het te kunnen overleven. Dat wordt mijn dood!'

'Welnee, Traak', zegt Elly vlug om te voorkomen dat de grote loebas weer begint te weeklagen en te huilen. 'Begin je niet opnieuw aan te stellen, alsjeblieft. Ik heb al een plan.'

'Een goed plan?' vraagt Traak.

'Een meesterlijk plan', zegt Elly. 'Een geniaal Elly-plan. Alles komt in orde, Traak. Maar dan moet je wel mijn mama en de oude man nu laten vertrekken zodat wij twee samen op mijn prachtige plan kunnen broeden. Goed?'

'O ja, broederlijk broeden en dichterlijk mededelen!' zegt Traak blij. 'Tak houten man! Tak mefrouw mama fan Elly fan Elmo!'

Tot ziens, oude man

Elly's mama en de oude man klauteren naar beneden. Als ze onder aan de rots zijn gekomen, lopen ze het pad af door het bos en komen zo vanzelf weer bij de koninklijke rondritweg van Elmo uit.

'Hier nemen we afscheid, mevrouw mama van Elmo', zegt de oude man.

'Weet je het zeker?' vraagt Elly's mama.

'Heel zeker', zegt de oude man. In zijn ogen blinken tranen van dezelfde soort als die in de ogen van Elly's mama. 'Heel zeker. Nu ik van die verre landen heb gehoord, weet ik eindelijk wat ik al mijn hele leven wil. Ik wil naar de verre landen reizen. Ik ben ontdekkingsreiziger van geboorte, al heeft het een hele tijd geduurd voor ik dat heb ontdekt, mevrouw mama van Elmo. Ik ben niet voor niets de enige Elmodaan die niet van Elmo heet, maar Peeters. Een heel ongewone naam, die naar avontuur en ontdekking geurt, vindt u niet? Ik ga naar de bizons kijken. Ze zijn heel bijzonder, weet u!'

'Dat ben jij ook, oude man', zegt Elly's mama. 'Ik dank je uit heel mijn hart dat je zo goed op Elly hebt gepast, daarboven in de Drakengrot. Tot ziens, oude man.'

'Tot ziens!' zegt de oude man.

Elly's mama loopt naar rechts en de oude man begint naar links te lopen. Hij zet er flink de pas in en fluit een deuntje. Een oude melodie, met een paar nieuwe noten van hemzelf erdoorheen geweven.

Je bent een schat

De volgende ochtend voelt Traak zich kiplekker. Samen met Elly heeft hij honderd twintig pannenkoeken verorberd. Honderd zestien voor Traak, drie voor Elly en eentje is in de takken van de eenzame boom blijven hangen.

Nu vliegen ze ervandoor, richting dorpsplein.

Rondom het plein zijn tribunes gebouwd waarop de Elmodanen hebben plaatsgenomen. Een speciale versterkte tribune is bestemd voor de club van de Dikkerds, waar koning Eldar als dikste lid automatisch voorzitter van is. Boven de tribunes zijn kleurige baldakijnen gespannen.

Ridder Lionel staat op een hoek van het plein, op een plekje dat niet uitgegraven is. Als Traak over het plein vliegt, worden de Elmodanen heel stil. Koning Eldar heeft briefjes laten drukken met *Boe, lelijke draak!* en *Laat Elly vrij, jij lelijk monster!* erop, maar nu ze de vreselijke draak van dichtbij zien, durven ze niet te roepen.

'Goh!' zegt Elly als ze het reclamebord ziet dat voor de winkel van slager Bolman van Elmo staat.

ALLEEN BIJ SLAGERIJ BOLMAN VAN ELMO!
VANAF VANDAAG VERKRIJGBAAR:
DRAKEN-BROCHETTES:
GROOT (voor 30 personen): 3 goudstukken
MIDDELGROOT (voor 20 personen): 2 goudstukken
KLEIN (voor 10 personen): 1 goudstuk

'Wacht maar!' roept Elly strijdlustig. 'Aanvallen, Traak!'

Traak braakt grote, warme vlammen uit. Hij blaast drie rode ringen van vuur en jaagt er een gele vuurbal doorheen.

'Bravo!' roept Elly. 'Hoera!'

'Haro! Broeva!' echoot Traak.

Elke Elmodaan, van arm tot rijk, van klein tot groot, van dik tot dun, voelt zijn haar rechtop gaan staan en iedereen krijgt rillingen van angst. Iedereen behalve Elly en haar mama. En de oude man, die ergens in de Hoge Bergen is.

Traak scheert omlaag en vliegt recht op ridder Lionel af. Maar hij landt niet. Net voor hij de grond raakt, bukt hij zijn kop en spuwt met felgroene en blauwe en rode vuurstralen het zeildoek boven de put in het plein in brand. Daarna klapwiekt hij krijsend omhoog. Zijn vleugels maken het geluid van de brullende wind.

'Mmmama!' klappert het vizier van ridder Lionels blikken helm.

'Bravo, Traak!' joelt Elly.

'Brand!' roepen de Elmodanen. 'Brand! Help!'

Traak laat het daar niet bij. Hij cirkelt drie keer boven het plein en likt dan plotseling langs de rand van de baldakijnen, die meteen beginnen te branden.

'Mijn baldakijnen!' krijst koning Eldar. 'Mijn kostbare baldakijnen. Iedereen blussen!'

Gelukkig hebben de mensen tijd genoeg om van het plein weg te vluchten voor ze gewond raken.

Het is een heel eind naar de Brede Rivier. Er zijn maar net genoeg Elmodanen om een ketting te vormen en emmers met water door te geven om de brand op het plein te blussen. Ook de club van de Dikkerds en hun voorzitter helpen dapper puffend mee.

Niemand let nog op Elly en Traak. Die zijn trouwens verdwenen naar een onbewaakte plaats, waar ze stilletjes op het binnenplein zijn geland.

'Wat een groot paleis is dit', fluistert Traak.

LAAT ELLY VRY!

'Kom maar mee', zegt Elly. 'Ik weet hier de weg!'

Traak loopt achter Elly aan. Hij hoopt dat ze gelijk had, vannacht, toen ze hem over het paleis van koning Eldar vertelde.

'Achter die deuren daar', wijst Elly.

Traak zet zijn voorpoot tegen de grote deuren van de voorraadkamer van koning Eldars paleis. Ze scheuren krakend uit hun hengsels.

'Wat mooi', zegt Traak als het stof opgetrokken is. 'En wat veel! Wat mooi veel!'

Daar heeft hij gelijk in. De voorraad lekkers die koning Eldar elk jaar weer verzamelt voor het Gezellige Feest van de Dikkerds is mooier om te zien dan de schat van Ali Baba en zijn veertig rovers. Vooral als je een draak bent die op zoek is naar voldoende voedsel om zijn winterslaap door te komen. Alles staat tentoongesteld op sneeuwwit gedekte tafels.

'Aanvallen, Traak!' beveelt Elly opnieuw.

Zelf neemt ze een maïskolf om af te kluiven. Traak is iets gulziger. Hij begint met vijf gebraden varkens, gevolgd door zeven tonnen bosbessen, zesentwintig hammen, drie vaatjes wijn (vaatjes inbegrepen), eenenveertig rozijnenbroden, achthonderd vijfenveertig wortels, een met chocolade gevulde eland, honderd eenenvijftig slagroomwafels, achtenzeventig roomschuitjes en drie emmers appelcake.

Elly vraagt zich af waar Traak het blijft steken. Hij is dan wel een grote draak en een appelblauwzeegroene bovendien, maar toch.

'Burps', boert Traak als hij alles heeft opgegeten.

Elly heeft haar maïskolf nog maar half op.

'Heb je genoeg, Traak?' vraagt ze.

'Ja', zegt Traak. 'Het was zalig, Elly. Eet je die halve maïskolf nog op?'

'Traak!'

'Grapje! Grapje…' gniffelt Traak. 'Burps… Excuseer, Elly, ik kan er niks aan doen.'

'Gezondheid, Traak', zegt Elly. 'Hoe voel je je nu?'

'Goed', zegt Traak. 'En slaperig. Ik denk dat ik maar eens aan mijn winterslaap ga beginnen.'

'Maar het is nog volop zomer!' zegt Elly verbaasd.

'Hier wel', glimlacht Traak fijntjes. 'Maar waar ik naar toe vlieg is het al heel koud, daar schijnt de zon al door de blote bomen.'

'Zul je wel over de Hoge Bergen geraken, Traak?'

'Ja hoor! Wil je niet met me mee?'

'Nee, bedankt.'

'Wat jammer! Ik… eh… ik ben blij dat ik je heb ontmoet, Elly. Je bent een fijne meid!'

Traak is zo verlegen dat hij zijn hart in zijn mond stopt en er een beetje op staat te sabbelen.

'En jij bent een dot van een draak, Traak!' zegt Elly. 'Je bent een schat!'

'Tot ziens, Elly.'

'Tot ziens en tot zoens, Traak', zegt Elly. Ze geeft Traak een kusje op zijn leren lippen.

'Ach Elly...' zucht Traak héél voorzichtig. Alleen Elly's haar beweegt ervan.

Als Traak hoog boven het paleis vliegt, kijkt Elly tevreden om zich heen. Ze begint de rest van de maïskolf af te kluiven.

'Lekker!' zegt ze. 'Straks zal ik je gezicht zien, koning Eldar, en dan moet jij doen alsof je blij bent dat ik ongedeerd ben. En dat je het niet erg vindt dat Traak je voorraad voor het Gezellige Feest van de Dikkerds heeft opgegeten. Lekker!'

Traak vliegt hoog boven Elmo. Als hij bij de Hoge Bergen komt, ziet hij de oude man moeizaam omhoogklauteren. Hij landt naast hem op een richel.

'Wil je met me meevliegen naar het verre land van de bizons, oude man?' vraagt hij vriendelijk.